なぜなにはかせの 理科クイズ

③ 天文と気象のなぞ

もくじ

なぜなにはかせの自己紹介 ……………… 4

問題 **1** 雲は何で、できている? ……………… 5

2 おりひめ星があるのは、どの星座? ………… 7

3 太陽の動きで、かげはどうなる? ………… 9

4 月は、どんなふうに見える? ……………… 11

5 風は、どうやって生まれる? ……………… 13

6 太陽と月と地球、大きい順にならべると…? …… 15

7 日本が夏のとき、地球の位置は? ………… 17

8 太陽の動きと気温の関係は? ……………… 19

9 空にどのくらい雲があると、くもり? ……… 21

10 雨つぶって、どんな形? ……………… 23

11 台風の目って、何? ……………… 25

12 月の形が毎日違って見えるのは、なぜ? ……… 27

13 雲に重さはある?それとも、ない? ………… 29

14 雨を降らす雲は、どれ? ……………… 31

15 日食のときの月は、どれ? ……………… 33

16 雲は、どっちへ動く? ……………… 35

17 台風の風は、どんなふうにふいている? …… 37

「一時雨」と「時々雨」の違いって、何? …… 39

18 雨は、どうして降るのかな? ……………… 40

19 雨の前に起きる現象は、どれ? ……………… 44

たくさんあるよ、雨の表現! ……………… 48

20 星座って、いくつあるの？ …………………… 49

21 三日月が出ているときの太陽は、どれ？ ………… 51

22 星の色が違うのは、なぜ？ ………………………… 53

23 雷と同じものは、どれ？ …………………………… 55

24 夕立の前と後、すずしいのはどっち？ ……………… 57

25 温室効果ガスで、地球はどうなる？ ……………… 59

26 月の引力で起きる現象は、どれ？ ………………… 61

27 太陽に一番近いわく星は、どれ？ ………………… 63

28 ヒートアイランド現象の原因は、どれ？ ………… 65

29 天の川は、何でできている？ ……………………… 67

30 台風の風が強いのは、どちら側？ ………………… 69

31 地球から月まで、どのくらい？ …………………… 71

32 もっとも高い場所にある雲は、どれ？ …………… 73

33 虹は、どっちに出ている？ ………………………… 75

34 地球上で飲み水は、どのくらいある？ …………… 77

35 動かない星があるのは、どの星座？ ……………… 79

36 夏至の日の太陽の動きは、どれ？ ………………… 81

37 朝、西の空に虹が出ている日の天気は？ ………… 83

38 雪の結晶ができるのは、どんなとき？ …………… 85

39 土星の輪は、何でできている？ …………………… 87

星によって体重が変わる？！ …………………… 89

40 水が姿を変えたものは、どれ？ …………………… 90

さくいん ……………………………………………… 94

問題1 雲は何で、できている？

空にふわふわとうかんでいる雲は、まるで上に乗れそうだね。
雲は何で、できているのだろう。

ア 水のつぶ

イ 綿

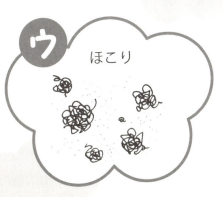

ウ ほこり

エ 砂のつぶ

答え 1　正解は ア

空気中には水蒸気がいっぱいある。水蒸気とは水があたためられて気体になったものだね。水蒸気が空高くのぼっていき、冷やされると、ごく小さな「水のつぶ」や「氷のつぶ」になる。それがたくさん集まってできたものが雲なんだ。だから残念ながら、雲の上には乗れないね。

空の高い所ほど、気温が低くなる。

1 水蒸気（目には見えない）

2 水蒸気が冷やされ、水のつぶができる。

3 さらに上空では、氷のつぶもできる。

やかんやお風呂の湯気も雲と同じで、水蒸気が冷やされてできた小さな水のつぶの集まりなんだ。

雲を作っている「水のつぶ」の大きさは、半径約0.01mm。雨つぶの大きさは、半径が平均約2mmだから、とても小さいのがわかるね。

問題 2　おりひめ星があるのは、どの星座？

七夕の伝説で知られる、おりひめ星とひこ星。
年に一度だけ天の川をわたって会うことが許されるというお話だね。
さて、このおりひめ星があるのは、次のうちどの星座かな？

ア　こと座

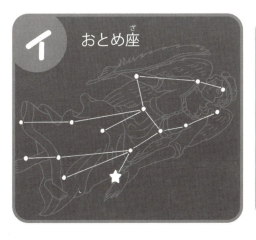

イ　おとめ座

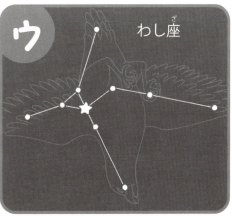

ウ　わし座

答え 2　正解は ア

おりひめ星はベガといって、こと座にあるんだ。ひこ星はアルタイルといって、わし座にあるんだよ。ベガとアルタイル、そして、はくちょう座にあるデネブという明るい3つの星をつないでできる三角形を、「夏の大三角形」と言うよ。

夏の大三角形

- ベガ（おりひめ星） こと座
- デネブ はくちょう座
- アルタイル（ひこ星） わし座

メモ

星にはいろいろな明るさがあるね。明るい星から順番に1等星・2等星・3等星…と分けられているよ。夏の大三角形をつくるベガ・アルタイル・デネブの3つの星は、1等星だ。

★ 1等星
✦ 2等星
• 3等星

問題 3 　太陽の動きで、かげはどうなる？

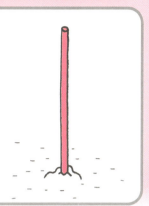

晴れた日に、地面に棒を立てて、そのかげを観察してみたよ。
かげはどんなふうに動いたかな？

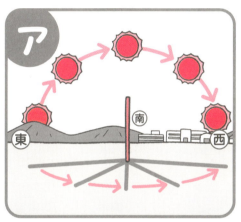

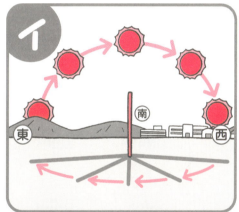

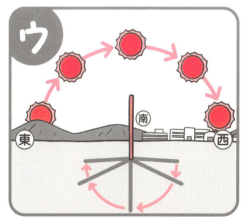

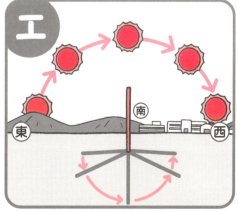

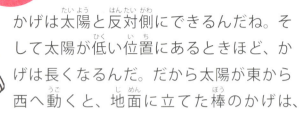

正解は イ

かげは太陽と反対側にできるんだね。そして太陽が低い位置にあるときほど、かげは長くなるんだ。だから太陽が東から西へ動くと、地面に立てた棒のかげは、西から東へと動き、太陽が東と西の位置にあるときはかげが長くなるよ。

太陽の反対側にかげができる。

太陽が低い位置に来ると、かげは長くなる。

太陽を直接見ると目をいためるよ。必ず、しゃ光板を使おう。

📎メモ

日時計を作ってみよう！

①あき箱に十字と、東西南北を書く。
②十字のまん中にあなをあけ、まっすぐに鉛筆を立てる。
③方位磁針を使って、東西南北の向きをあわせる。
④日光の当たる場所におき、1時間ごとに鉛筆のかげを記録する。

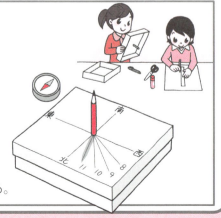

問題 4 　月は、どんなふうに見える？

太陽と月が、次のような位置にあるとき、地球から月は、どんなふうに見えるかな？

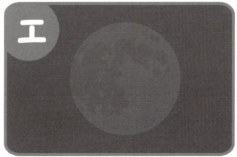

答え 4

正解は ㋐

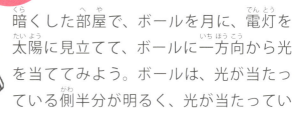

暗くした部屋で、ボールを月に、電灯を太陽に見立てて、ボールに一方向から光を当ててみよう。ボールは、光が当たっている側半分が明るく、光が当たっていない側半分は暗いね。月も同じように、太陽の光が当たっている側半分が明るく光って見えるんだよ。

問題 5 風は、どうやって生まれる？

風には、台風のときにふく強い風もあれば、そよ風のように弱い風もあるね。風って、どうやって生まれるのかな？

ア 雲からふき出していると思うな。

イ 海の波が作っているんじゃないかな。

ウ 太陽からふいて来るはずだよ。

エ 気温の差で生まれるのかも。

答え 5　正解は エ

風は、空気の流れによって起こるよ。あたたかい空気は冷たいところへと流れるんだ。冬にあたたかい部屋のドアをあけると、寒い廊下の空気がスーっと入ってきて、逆にあたたかい空気は廊下に出ていくね。

また、太陽にあたためられた空気は、軽くなって上昇する。この上昇気流によって地上の空気が上空に運ばれると、空気がうすくなり、それをおぎなうように周りの空気が流れこんで風が起きるよ。この縦方向の空気の動きを、「気圧の変化」ともいうよ。

陸地は海上よりもあたたまりやすいので、日中は風は海から陸へとふく。これを海風というよ。

これが夜になると、陸地は海より冷えやすいので、風向きが逆になるんだ。これを陸風というよ。

問題 6 太陽と月と地球、大きい順にならべると…？

我々が住んでいる地球、昼間に明るくかがやく太陽、夜空にうかぶ月。大きさ順にならべると、次のうちどれが正しいかな？

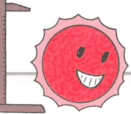 

ア  地球、月、太陽の順に見えるよ。

イ 太陽、地球、月じゃないかな。

ウ  意外と、月、地球、太陽かも。

※太陽を観察するときは、必ずしゃ光板を使いましょう。

答え6 正解は イ

大きい順にならべると、太陽、地球、月となるよ。しゃ光板を使って太陽を見ると、とても小さく感じるけれど、実際は地球の直径の約109倍もの大きさなんだ。逆に月は地球の約4分の1の大きさなんだ。

太陽	地球	月
直径およそ140万km	直径およそ1万3000km	直径およそ3,500km

太陽の表面温度は約6000度近くあるよ。内側にいくほど温度は高くなり、中心部の温度はおよそ1600万度もあるんだ。
月は地球の周りを回っているし、地球は太陽の周りを回っているね。太陽のように、ほかの星の周りを回ることがなく、自ら光を放っている星を「恒星」と言うよ。
ふだん、わたしたちが夜空で目にする星のほとんどは、この恒星なんだ。

問題 7 日本が夏のとき、地球の位置は？

地球は太陽の周りを回っているね。
1周すると、ちょうど1年だ。
次の地球の位置で、日本の夏の位置を表しているのは、どれかな？

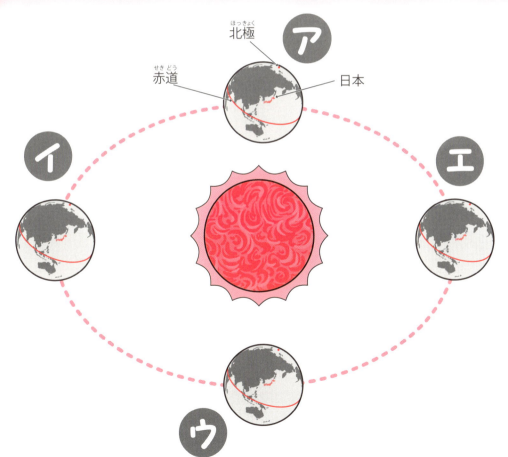

答え 7　正解は イ

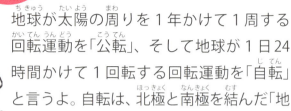

地球が太陽の周りを1年かけて1周する回転運動を「公転」、そして地球が1日24時間かけて1回転する回転運動を「自転」と言うよ。自転は、北極と南極を結んだ「地じく」を、コマの心棒のようにして回転しているんだ。この地じくが23.4度かたむいたまま、太陽の周りを公転しているため、季節の変化が起きるんだね。

北半球では北極が太陽の方を向いているときが夏、太陽と反対の方を向いているときが冬なんだ。北半球と南半球では季節が逆になるね。日本が夏のとき、オーストラリアは冬だよ。

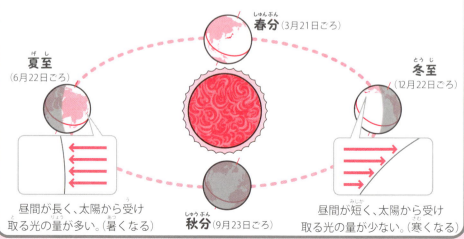

問題 8 — 太陽の動きと気温の関係は？

よく晴れた風のない日に、1日の気温の変化を調べてグラフを作ったよ。太陽の動きと気温の関係を表しているのは、どれかな？

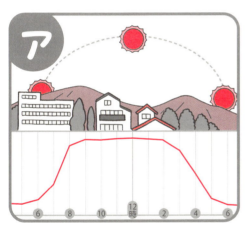

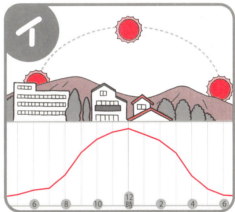

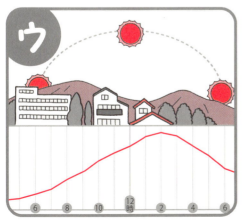

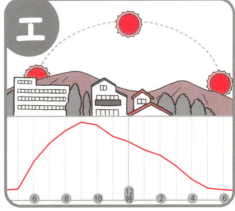

答え 8　正解は ウ

気温の変化は、太陽からの光や熱のエネルギーによってもたらされるよ。だから日の出とともに気温が上がり始め、日がしずむと気温はだんだん下がってゆく。

けれども、太陽の高さは正午ごろに一番高くなるのに、気温はそれより少しあとの午後2時ごろに一番高くなっているね。これは、空気があたたまりにくいからなんだ。日光が当たると、空気よりもまず地面があたためられる。そのあたためられた地面が空気をあたためるので、太陽の高さと気温の高さにはずれができるんだよ。

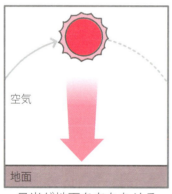

日光が地面をあたためる

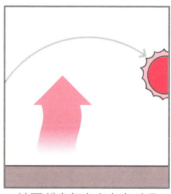

地面が空気をあたためる

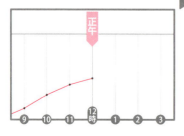

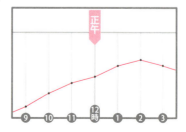

問題 9 空にどのくらい雲があると、くもり？

天気予報で、「明日の天気はくもり」と言っていたよ。予報する地域の空の広さを10として、どのくらい雲が空をおおっていると「くもり」と言うのかな？

ア 空の広さを10として 雲の量が2以上のとき

イ 雲の量が5以上のとき

ウ 雲の量が7以上のとき

エ 雲の量が9以上のとき

答え 9　正解は 工

天気の「晴れ」と「くもり」の違いは雲の量で決められているよ。
空全体の広さを10として、雲の量が0～8なら「晴れ」、9～10になると「くもり」なんだ。雨が降っているときは「雨」、雪が降っているときは「雪」とされ、この場合は雲の量は関係なく決まるよ。

メモ

「きつねの嫁入り」という言葉を聞いたことがあるかな？空が明るく、雨を降らすような雲がないのに、雨が降ってくることを言うんだ。これは、遠くの雨が風に運ばれてきたり、雨が地上に届く前に雲が移動してしまったときに起こる現象だよ。まるで「きつねにだまされたような気分」になることから、こう呼ばれるようになったようだ。

問題 10 　雨つぶって、どんな形？

雨が降っているとき、雨つぶはとても速く落ちるので、1つ1つの形はよく見えないね。強く雨が降っているときの雨つぶは、どんな形をしているのだろう。

ア おまんじゅうみたいな形だと思うな。

イ しずくの形なんじゃないかな。

ウ 長い棒みたいな形だよ。

エ まんまるの形のはずだよ。

答え 10　正解は ア

イラストやまんがでは、しずくの形で表現することも多い雨つぶだけれど、実際には違うんだ。本来、水滴はまんまるの球形だね。だから、きり雨程度の弱い雨なら、雨つぶは球形だ。けれども、かさが必要なくらい強い雨になると、雨つぶは大きく、落ちるときに下から空気の抵抗を受けるので、おまんじゅうのようなつぶれた形になるよ。

弱い雨

強い雨

メモ

高い所から飛び降りたりすると、下から風を受けて、かみの毛が逆立ったり、服がめくれたりするね。これは空気抵抗によるものなんだ。雨つぶが落ちるときにも、同じように空気抵抗がはたらくよ。

空気抵抗

問題 11 台風の目って、何?

「台風の目」という言葉を聞いたことがあるかな?
いったい何のことをさす言葉なんだろう?

ア 台風から降ってくる雨のことをさすよ。

イ 本当に目があるんじゃないかな。

ウ 台風の進む方向をさすんだよ。

エ 台風の真ん中にできる、あなのことかも。

答え 11 正解は エ

台風が発達すると、その中心にできる雲のないあなのような部分、これが台風の「目」だ。

洗面器に水をはり、手で勢いよくぐるぐるとかき回してみよう。しばらくするとうず巻きができ、中心部分の水がなくなり、洗面器の底が見えるぞ。これと同じことが台風でも起きているんだね。

「目」ができた！

台風の目の中に入ると、風はおだやかになり雨もほとんど降らず、青空や太陽が見えることもある。けれども台風の目が通り過ぎると、ふたたび非常に強い雨風となるから、油断は禁物だ。

台風の目に入ったぞ。

目が通過すると、風向きが逆になるんだ。

※台風が来ているときの外出はひかえましょう。

問題 12 月の形が毎日違って見えるのは、なぜ？

毎日同じ時間に月を見たよ。
見える方向も形も違って見えるのは、なぜかな？

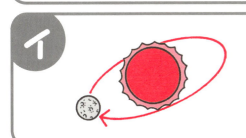
ア 地球が月の周りを回っているからだよ。

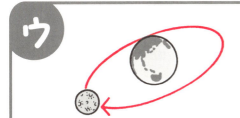
イ 月が太陽の周りを回っているからだよ。

ウ 月が地球の周りを回っているからだよ。

答え 12　正解は ウ

月が毎日違う位置、違う形に見えるのは、月が地球の周りを回っているからなんだ。およそ1か月かけて地球を一周するよ。地球からは、月に太陽の光が当たっている部分だけが見えているから、毎日違う形に見えるんだね。約1か月間は毎日形が違って見えるけれど、約1か月後に、最初に見た形にもどるよ。

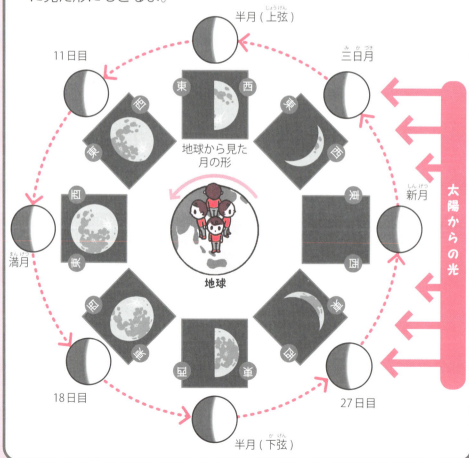

問題 13 　雲に重さはある？それとも、ない？

空にうかんでいる雲に重さはあるのかな？　ないのかな？

ア

空にうかんでいるんだから、重さはないんじゃないかな。

イ

小さな水や氷のつぶでできているんだから、重さはあると思う。

答え 13　正解は イ

雲にも重さはあるんだよ。雲は小さな水や氷のつぶでできているね。このつぶのことを「雲粒」と言うよ。この雲粒1つ1つの重さを合計したものが、雲の重さなんだ。夏にできる入道雲とも呼ばれる積乱雲は、大きいもので100万トンにもなるんだよ。

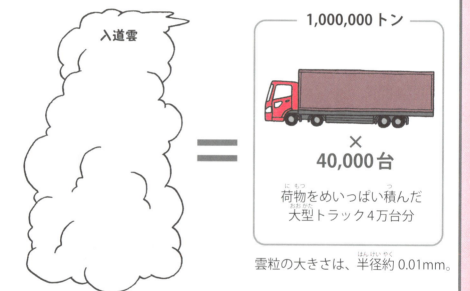

雲粒の大きさは、半径約0.01mm。

どうしてそんな重いものが、空にうかんでいられるのか、不思議に思うかもしれない。雲を作っている雲粒は、合計した重さはとても重くても、1つ1つはものすごく小さくて軽いんだ。小さくて軽いから、風に流されてうかんでいられるんだね。うかんでいる雲粒がたくさん集まって、1つの雲ができているんだよ。

問題 14 — 雨を降らす雲は、どれ？

雨が降る前に、空には雲ができるね。次のうち、おもに雨を降らせる雲が2つあるよ。どれと、どれかな？

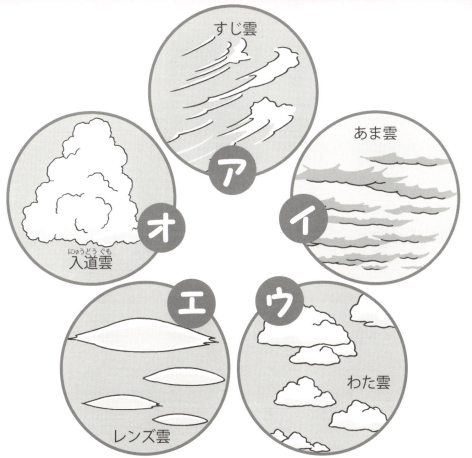

答え 14　正解は イ オ

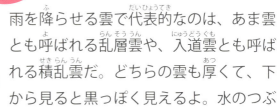

雨を降らせる雲で代表的なのは、あま雲とも呼ばれる乱層雲や、入道雲とも呼ばれる積乱雲だ。どちらの雲も厚くて、下から見ると黒っぽく見えるよ。水のつぶが大きくなって重くなった雲は、黒っぽく見えるんだ。

積乱雲は、激しい雨やひょうを降らせたり、雷や突風を起こすことがあるから、注意しよう！

📎メモ

雲ときりの違いって、何？

山のふもとなどで、きりが出ているのを見たことはあるかな？
きりと雲は、同じものなんだ。地上に近いところに出た雲のことを「きり」と呼ぶんだよ。つまり、きりの中にいるのは雲の中にいるのと同じこと。よーく目をこらしてみよう。0.1mmていどの小さな水のつぶが見えるよ。

問題 15 — 日食のときの月は、どれ？

太陽の一部や全部が欠けて見える日食。世界的に見ても、1年に2〜3回しか起こらないよ。次のうち、日食のときの月の位置は、どれかな？

答え 15　正解は イ

日食は、太陽と月と地球が、ちょうど一直線にならんだときに起こるよ。月が太陽と地球の間に入って、太陽の表面の一部をおおうと「部分日食」、全部をおおうと「皆既日食」になるんだ。

地球から見て太陽のほうに月があるから、日食は新月のときに起こるんだね。けれども、月はふつう、太陽と地球を結ぶ直線上から少しずれたところを通るから、新月のたびに日食が起こることはないんだ。

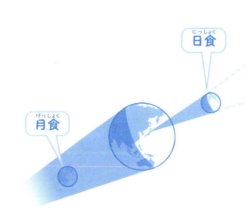

日食を見るときは、必ずしゃ光板を使おう。

日食とは逆に、太陽と月の間に地球がきて、地球のかげで月が欠けて見えるのが「月食」だ。

地球のかげは月より大きいので、日本でも年に2〜3回は月食が見られるよ。

答え 16　正解は イ

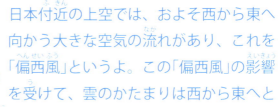

日本付近の上空では、およそ西から東へ向かう大きな空気の流れがあり、これを「偏西風」というよ。この「偏西風」の影響を受けて、雲のかたまりは西から東へと移動していくのが普通なんだ。このことから、日本付近の天気はだいたい西から東へと移り変わっていくよ。

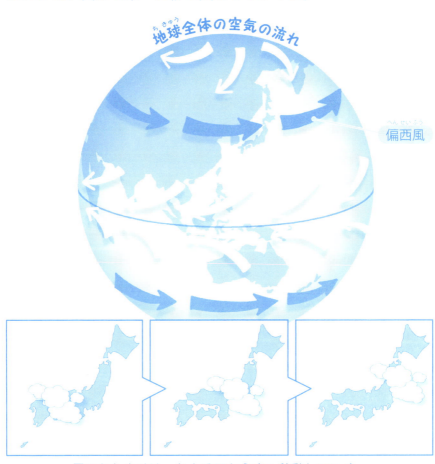

地球全体の空気の流れ

偏西風

雲のかたまりは、およそ西から東へ移動していく。

問題 17 台風の風は、どんなふうにふいている？

日本では夏から秋にかけてやってくることが多い台風は、風と雲でできた大きなうず巻きだ。台風を上から見たときに、風はどんなふうにふいているのかな？

ア 反時計回りにふき出しているんじゃないかな。

イ 時計回りににふきこんでいるんだと思うよ。

ウ 下の方は反時計回りにふきこんで、上の方は時計回りにふき出すよ。

エ とくに決まりはないはずだよ。

答え 17　正解は ウ

台風のうず巻きはとても大きく、直径が1000kmになるものもあるぞ。台風の風のふき方は、下の方と上の方では逆になるんだ。台風を上から見ると、下の方では反時計回りに中心に向かって風がふきこみ、上の方では時計回りに外へ向かって風がふき出しているよ。

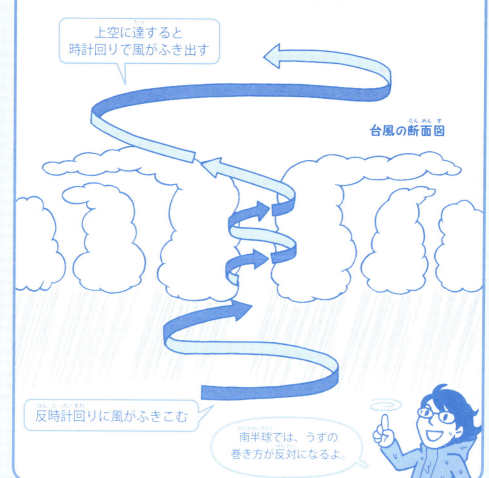

台風の断面図

上空に達すると時計回りで風がふき出す

反時計回りに風がふきこむ

南半球では、うずの巻き方が反対になるよ。

「一時雨」と「時々雨」の違いって、何？

天気予報で聞く「一時雨」と「時々雨」。よく似ているけれど、ちゃんと違いがあるんだ。どちらの言葉も、雨の降る量を表しているのではないよ。予報する期間（例えば朝の6時から、夕方18時までの間）に、どのくらいの時間雨が降るかで区別しているんだ。

一時雨

連続的に降る時間が、予報期間全体の4分の1未満。

例　[12時間 ÷ 4 = 3時間] > [雨が降る時間 = 2時間]

時々雨

雨が一時、連続的に降って、その時間が4分の1以上、2分の1未満。または、とぎれとぎれに降る時間の合計が、予報期間全体の2分の1未満。それ以上降るときは「雨」。

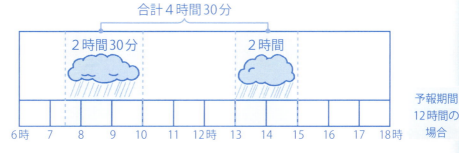

例　[12時間 ÷ 2 = 6時間] > [雨が降る合計時間 = 4時間30分]

問題 18 雨は、どうして降るのかな？

雨が降るまでのおもな仕組みを、カードにしたよ。雨が降る様子を考えて、カードを順番にならべてみよう。

め 上昇気流に乗って、水蒸気が空高く運ばれる。

て 氷のつぶが、大きく重くなり落下する。

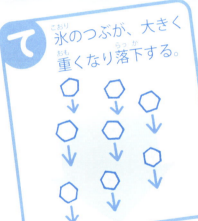

き 雨つぶが大きくなり、落下する。

答え 18　あめふりてんき

空気があたためられて上昇気流が起こると、上空に運ばれた水蒸気が小さな水のつぶになり、雲を作るよ。

り 水のつぶが冷やされて、氷のつぶになる。

水蒸気が水のつぶになると、雲ができる。

ふ 温度が下がり、水蒸気が冷やされ水のつぶになる。

め 上昇気流に乗って、水蒸気が空高く運ばれる。

あ 空気があたためられ、上昇気流が起こる。

熱帯地方の場合、雲の中の気温が高いため、氷のつぶはできずに、雨になる。

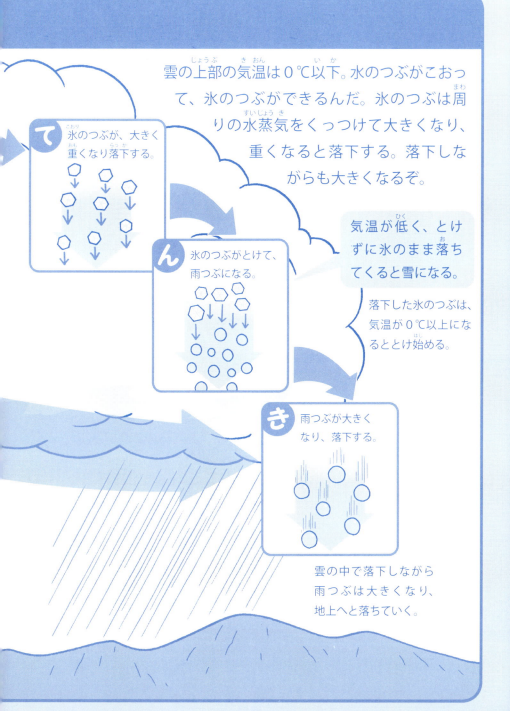

問題 19 雨の前に起きる現象は、どれ？

日本で天気予報が始まったのは、およそ120年前のことだ。人工衛星などない昔は、空の雲や生き物の様子などを観察して天気を予想していたんだ。
次のうち「雨になる」と言われる現象で、科学的にも間違っていないのは、どれかな？

ア　山に、かさ雲がかかる。

イ　クモの巣につゆがつく。

ウ　うろこ雲が出る。

答え 19　正解は ア ウ エ カ キ

空や生き物の様子などから天気を予想することや、天気についての言い伝えやことわざのことを「観天望気」と言うよ。

長い年月の間に言い伝えられてきたこれらの観天望気は、科学的に証明できるものも多いんだ。半日か1日程度の天気なら、今でもじゅうぶん役に立つよ。

ア　山に、かさ雲がかかると雨になる。

しめった空気が近づいてきて、山にぶつかると、かさ雲ができる。しだいに雲が多くなり、やがて雨が降ると予想される。

イ　クモの巣につゆがつくと晴れる。

晴れる日の朝は、くもりや雨の日よりも気温が下がるので、空気中の水蒸気がつゆとなって現れやすい。

ウ　うろこ雲があると雨になる。

しめった空気が強い上昇気流におし上げられると、うろこ雲とも呼ばれる巻積雲ができる。魚のうろこのようなうろこ雲は、雨の前によく見られる雲の1つ。

ツバメが低く飛ぶと雨になる。

ツバメのえさとなる小さな昆虫は、雨が近づき空気がしめってくると、高く飛べないといわれている。その昆虫をおってツバメが低く飛ぶと、雨が予想される。

夕焼けになると晴れる。

夕焼けは、太陽がしずむ西が晴れているときに起きる。天気は西から東へ移るので、多くの場合夕焼けになると晴れることが予想される。

月がかさをかぶると雨になる。

月がかさをかぶったような光の輪は、空高くにうす雲が出ているときによく出る。うす雲の西の方には、あま雲が広がっていることが多い。

飛行機雲が広がると雨になる。

飛行機雲は、空気が乾燥していると、すぐに消えてしまう。逆に、空気中に水蒸気がたくさんあるときに、できやすい。いつまでも飛行機雲が消えずに広がっていくときは、雨になることが予想される。

山に、はち巻き雲がかかると晴れる。

天気がよいときは、山はだにそって上昇気流が起きて雲ができる。山の上の気流が安定しているので、雲がたなびいてはち巻きのようになる。

47

たくさんあるよ、雨の表現！

気象庁のホームページを見ると、雨には強さや量、季節ごとにたくさんの言い方があるのがわかるよ。逆に、ふだんわたしたちが使っている表現でも、天気予報では使わないようにしている言葉もあるんだね。だれにでも正確に伝わるよう、天気予報に使う用語を定めているんだ。天気予報を聞くときの参考にしよう。

大雨　災害が発生するおそれのある雨。

小雨　数時間続いても雨量が1mmに達しないくらいの雨。

長雨　数日以上続く雨の天気。

きり雨　微小な雨滴（直径0.5mm未満）による弱い雨。

雷雨　雷をともなう雨。

このほかにも、いろいろな表現があるよ。見つけてみよう！

天気予報では使わない表現

✕「雨天」→◯「雨の天気」　　✕「雨もよう」→◯「雨やくもり」「雨またはくもり」

✕「雨があがる」→◯「雨がやむ」　　✕「雨がある」→◯「雨が降る」

✕「雨のやみまがある」→◯「雨のやむとき（こと）がある」　　など…

雨量計

雨量とは雨の量のことだ。雪なども含めて「降水量」と言うよ。全国の気象台にある雨量計で観測しているんだ。

気象庁のホームページ　http://www.jma.go.jp

問題20 星座って、いくつあるの？

「夏の大三角形」を作る星を持つ、こと座、はくちょう座、わし座については8ページで学んだね。このほかにも、さそり座、こぐま座、オリオン座など、たくさんの星座があるよ。
さて、全部でいくつあるのかな？

ア 12
イ 88
ウ 120
エ 999

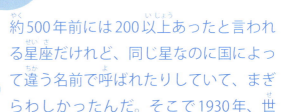

答え 20　正解は イ

約500年前には200以上あったと言われる星座だけれど、同じ星なのに国によって違う名前で呼ばれたりしていて、まぎらわしかったんだ。そこで1930年、世界の天文学者が集まって88に整理したんだよ。中には、日本からは見えない星座もある。日本国内でも場所によって見える星座は変わってくるんだ。沖縄県那覇市では、全体が見える星座の数は75あるよ。

探してみよう
季節の星座

春　おおぐま座
夏　さそり座
秋　カシオペア座
冬　オリオン座

問題 21 三日月が出ているときの太陽は、どれ？

新月から3日目の月を「三日月」というね。三日月が出ているとき、太陽の位置は、次のうちどれかな？

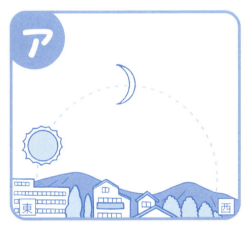

ア

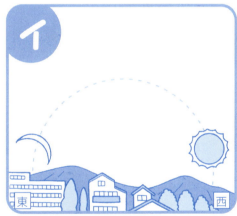

イ

ウ

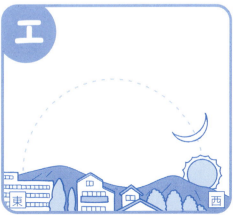

エ

答え21 正解は エ

28ページを思い出してみよう。地球から見て、月が太陽の方向にあるとき、月はかげになって見えないね。これが新月だ。新月から3日後、月が移動すると、太陽の光に照らされてほそく光る部分が地球から見える。これが三日月だね。つまり三日月は地球から見ると、太陽の近くに見えるんだ。三日月は日の出の後すぐに出て、日がしずむと西の空の低い位置に見えるよ。

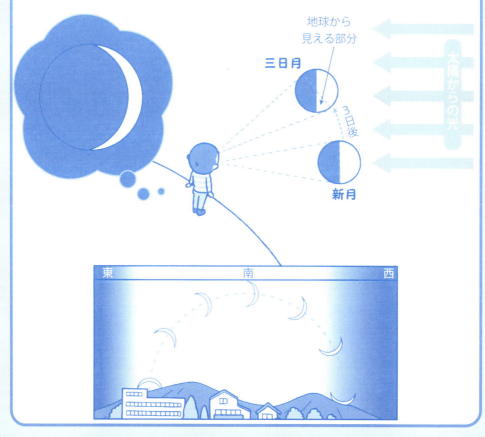

問題 22　星の色が違うのは、なぜ？

夜空の星をよく観察してみると、赤く見える星、青く見える星、白く見える星など、星に色の違いがあることに気づくはずだ。なぜ色が違って見えるのかな？

ア　大きさが違うと、色が違って見えるのかも。

イ　地球からの距離の違いじゃないかな。

ウ　その星の温度の違いだと思うよ。

エ　その星の地面の色が違うんだよ。

答え22　正解は ウ

星の色は、表面の温度の違いを表しているんだ。表面がおよそ3000℃の一番低い温度の星は赤く、およそ6000℃の星は黄色く、20000℃以上ある特に温度の高い星は、青っぽく見えるよ。青い星の多くは、若い星だ。星は歳をとると表面の温度も下がって、赤やオレンジのおだやかな色になるよ。

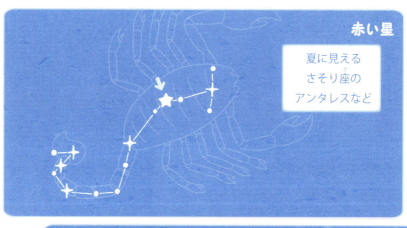

赤い星　夏に見えるさそり座のアンタレスなど

青い星　春から夏にかけて見えるおとめ座のスピカなど

問題 23 雷と同じものは、どれ？

はげしい光やゴロゴロといった音を出す雷。雷はどうやってできるのだろう。
次のうち、雷と同じものがあるよ。それはどれかな？

ア 静電気（せいでんき）

イ 太陽の光（たいよう）

ウ 花火（はなび）

答え 23　正解は ㋐

セーターなどをぬぐとき、服やはだとこすれあってバチバチということがあるね。原因は静電気だ。同じように、雲の中で氷のつぶどうしがぶつかりあってできた静電気が、雲の中や外に流れ出したものが雷なんだ。

雷の起きる様子

雷は積乱雲の中で、作られるよ。

1 あたためられた空気が上昇し、積乱雲ができる。

2 積乱雲の中で、氷のつぶがぶつかりあい、電気が起きる。

3 雲の中からあふれ出た静電気が、雷になる。

メモ

雷の音が、聞こえたら…

高い木のそばから離れる。

建物や車の中に避難する。

電源プラグをコンセントから抜く。

答え 24 正解は 後

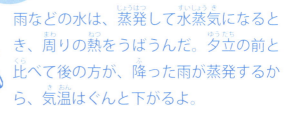

雨などの水は、蒸発して水蒸気になるとき、周りの熱をうばうんだ。夕立の前と比べて後の方が、降った雨が蒸発するから、気温はぐんと下がるよ。

暑い日に「打ち水」ってしたことがあるかな？家の庭や道に水をまくことを「打ち水」というよ。まかれた水が蒸発するから、すずしくなるんだね。

問題 25 温室効果ガスで、地球はどうなる？

人間は、よりよい生活を目ざして文明を発展させてきたと同時に、自然環境を変化させてしまっているのも事実だ。
そのうちの1つ、「温室効果ガス」の増加で、地球にどんな変化があると言われているのかな？

ア 平均気温が上がる。

イ 平均気温が下がる。

答え 25　正解は ア

温室効果ガスは、温室のガラスのように地球の熱が宇宙に逃げないよう、閉じこめておく効果があるんだ。適量の温室効果ガスなら地表をあたためバランスのよい環境を保てるけれど、温室効果ガスが増えすぎてしまうと、地球の温度が上がってバランスがくずれてしまうと考えられているよ。

温室効果ガスの中でも、二酸化炭素はもっとも影響が大きい温室効果ガスの１つなんだ。このまま地球の二酸化炭素が増え続けると、2050年には平均気温が３℃も上昇すると言われている。このような現象を「温暖化」といい、世界中で様々な対策が進められているよ。

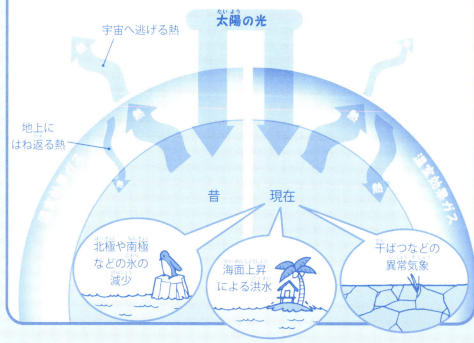

問題 26 月の引力で起きる現象は、どれ？

月にも、地球と同じように引力があるよ。そして月と地球はおたがいの引力の影響を受けているんだ。
次のうち、月の引力で起きるものは、どれかな？

ア　たつ巻き

イ　潮の満ち引き

ウ　流れ星

答え 26　正解は イ

潮の満ち引きは、月の引力によって海水が引っぱられて起きるんだ。月に近い方の海は、海面が月の引力に引きよせられて盛り上がるよ。そしてその反対側の海も、月の引力がもっとも弱くなり、引きよせる力が足りないので、海水がとり残されるような形になって、海面が盛り上がるんだ。

月の動きに合わせて、満ち潮の地域も移動するよ。

海水が低くなり引き潮になる。

月の引力によって海水が引っ張られ満ち潮になる。

海水が低くなり引き潮となる。

海水が取り残されて満ち潮になる。

地球は1日で1回転するので、1つの地方で見ると、潮の満ち引きは1日2回ずつ起こることになるね。

問題 27 太陽に一番近いわく星は、どれ？

太陽の周りを、地球を含めて8つのわく星が回っているよ。
この中で、太陽の一番近くを回っているわく星は、次のうち、どれかな？

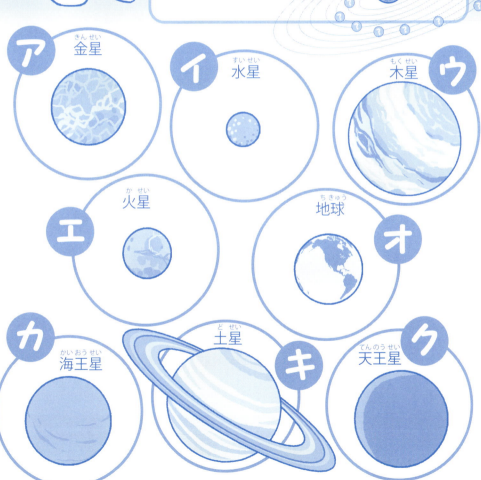

ア 金星
イ 水星
ウ 木星
エ 火星
オ 地球
カ 海王星
キ 土星
ク 天王星

答え 27

正解は イ

太陽とその周りを回っているものすべてを「太陽系」と言うよ。太陽に近いわく星から順に、水星、金星、地球、火星、木星、土星、天王星、海王星だ。

金星

地球と大きさ、重さがほとんど同じ。温度は460℃もあると言われるしゃく熱のわく星。

地球

火星

大気のほとんどが二酸化炭素。表面は鉄が多くふくまれ、赤く見える。

水星

大気がほとんどなく、太陽にもっとも近いので、昼は約400℃以上、夜は－150℃以下にもなる。

木星
太陽系の中でもっとも大きなわく星。大気は水素ガスとヘリウムガスでできている。

土星
大きな輪を持っているのが特ちょう。大気は木星と同じくほとんどが水素やヘリウムなどのガスでできている。

海王星

太陽からもっとも遠く、表面の温度は－230℃と言われる。

天王星

ほとんどが氷でできている。表面の温度は-200℃くらい。

答え 28　正解は イ ウ オ カ

都市部では、車の排気、オフィスや家庭のエアコンなどから出される熱により、気温が上がっているんだ。アスファルトの道路やコンクリートの建物は、昼間ためこんだ熱を夜に放出するから、気温が上がる原因の1つとなっているよ。

ヒートアイランド現象が進むと、一部の地域に集中した豪雨や、熱帯夜が続くなどの変化が心配されている。緑を増やしたり、エアコンの設定温度を下げたり、風の通り道をつくるなどの対策が求められているんだ。

問題 29 天の川は、何でできている？

星空にかかる白い帯のような天の川。昔の人は、死んだ人のたましいが、あの世へ渡ってゆく道だとか、天球のつなぎ目だとか、考えていたよ。
さて、天の川は、本当は何でできているのかな？

ア ガス
イ 雲
ウ 星
エ ちり
オ 月光

答え29　正解は ウ

天の川は、とても遠くにあるたくさんの星の集まりだよ。望遠鏡や写真で見ても白いぼうっとした雲か、きりのように見えるけれども、それは遠い遠いところにある星の光が無数に重なりあっているからなんだ。

太陽の周りを回る「太陽系」というグループの中に、地球はあるよ。この太陽系は、さらに大きな「銀河系」という星の集団に入っている。銀河系はうず巻き状で、ちょうどつぶしたドラ焼のような形をしている。地球はこのドラ焼のはしのほうにあるので、地球から銀河系の中心の方向を見ると、たくさんの星が重なって、白い帯のように見えるんだ。

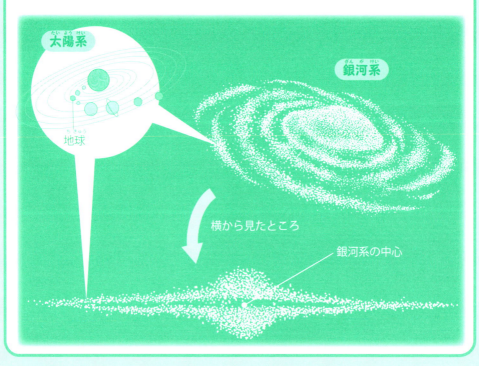

答え 30　正解は イ

台風の進行方向の右側は、台風自身の風の向きと台風全体を押す風の向きが同じになるので、より風が強くなるよ。逆に進行方向の左側は、おたがいの風が打ち消しあうので、少し風は弱くなるんだ。
とはいえ油断は禁物。台風が来たら、外出はひかえよう。

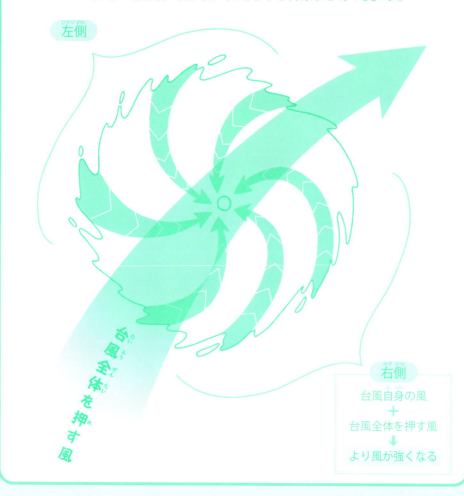

左側

台風全体を押す風

右側
台風自身の風
＋
台風全体を押す風
↓
より風が強くなる

問題 31 地球から月まで、どのくらい？

地球の一番近くにある星は月だね。実際に行くのには宇宙ロケットが必要だけれど、もし、時速200kmの新幹線で行くとしたら、どのくらいの時間が必要かな？

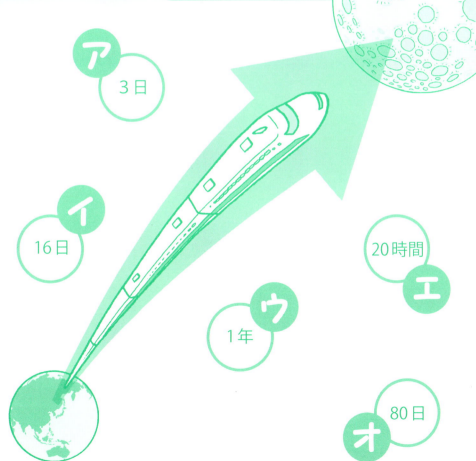

ア 3日

イ 16日

ウ 1年

エ 20時間

オ 80日

答え 31 正解は オ

地球から月までの距離は約38万km。地球と月の距離は一定ではなく、近づいたり遠ざかったりしているので、この約38万kmというのは、その平均だよ。光の速さだと1.3秒、時速1000kmのジャンボジェット機だと約16日、時速200kmの新幹線だと約80日かかる計算になるんだ。

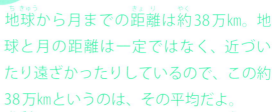

これが、地球から太陽までの距離だと、もっとずっと遠くなる。光の速さだと8分19秒、ジャンボジェット機だと約17年、新幹線だと約85年もかかるんだ。

問題 32 もっとも高い場所にある雲は、どれ？

雲には、すじ雲、うろこ雲、わた雲、うね雲など、いろいろな呼び方があるね。
さて次のうち、空のもっとも高い場所にある雲はどれかな？

ア わた雲

イ あま雲

ウ すじ雲

エ うね雲

オ うろこ雲

カ ひつじ雲

答え32 正解は ウ

空のもっとも高い場所にできる雲は、すじ雲で、別名「巻雲」というよ。すじ雲、うろこ雲、わた雲といった名前は、実はあだ名のようなもの。雲はその形やできる高さによって大きく10種類に分けられ、正式な名前がつけられているんだ。これは世界共通の分け方なんだよ。

10種類の基本の雲

問題 33 虹は、どっちに出ている？

答え33 「太陽の反対側を見て!」

太陽と反対側の空を見てごらん。そこに虹が見えるはずだよ！

あったー！

雨上がりに日がさすと、空に虹が見えることがあるね。虹は、空気中にある水のつぶに、太陽の光がはねかえされてできるんだ。

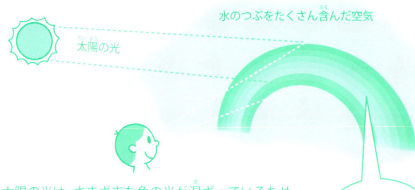

太陽の光は、さまざまな色の光が混ざっているため、ふだんは白く見えているよ。けれども水のつぶに当たってはねかえるとき、それぞれの色が分かれて見えるんだ。虹の色は7色に表現されることがあるけれど、実際には紫から赤までの色が連続していて、はっきりと7色に見えることはないんだ。

問題 34 地球上で飲み水は、どのくらいある？

地球は、太陽系のわく星の中で、水を持っているただ1つのわく星だね。
地球上のすべての水を100％としたとき、飲み水などに使うことができる水（淡水）は、およそ何％かな？

ア　ぜーんぶ使えるよ。100％だ。

イ　半分くらいかな。50％だと思う。

ウ　3分の1以下だよ。30％くらいかな？

エ　ほんのちょっと。3％より少ないかも。

答え 34　正解は エ

地球上にある水は約14億km³。とてつもない量に思えるけれど、そのうちの約97.5％は海水なんだ。淡水は残りの2.5％ぐらいしかないよ。しかも、この淡水の大部分は南極や北極地域などの氷や氷河として存在しているため、地下水や河川、湖などの水として存在するのは、地球全体の水の約0.8％なんだって！さらにこの大部分は地下水なので、人が利用しやすい河川や、湖などの水に限ると、その量は約0.01％しかないと言われているよ。

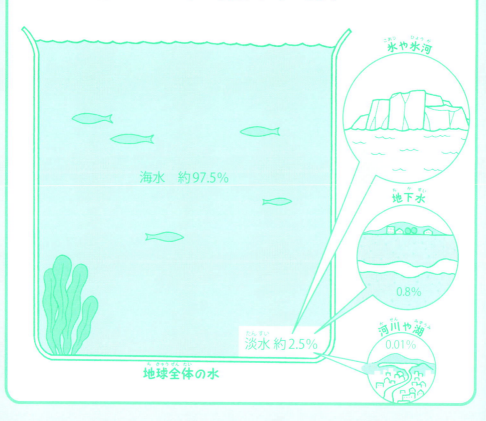

問題 35 動かない星があるのは、どの星座？

地球から見るとどの星も、太陽や月と同じように、東から西へと動いて見えるね。けれども、1つだけ止まったまま動かないように見える星があるよ。その星は、どの星座にあるのかな？

ア カシオペア座

イ こぐま座

ウ おおぐま座

エ はくちょう座

答え35　正解は イ

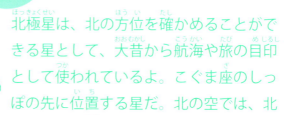

北極星は、北の方位を確かめることができる星として、大昔から航海や旅の目印として使われているよ。こぐま座のしっぽの先に位置する星だ。北の空では、北極星を中心に、東から西へと星が動いているように見えるんだ。星空がえがかれたかさをぐるっと回しているところを想像してごらん。北極星はかさの柄の部分、回っているちょうど中心にあることになる。

メモ
北極星を探そう！

北斗七星かカシオペア座をもとにして、下の図のように北極星が見つけられるぞ。北極星はほぼ真北の方角にあるよ。

問題 36 夏至の日の太陽の動きは、どれ？

昼の長さがもっとも長い日を「夏至」というね。だいたい毎年、6月22日ごろにやってくるよ。
次の絵の中で、夏至の日の太陽の動きを表しているのは、どれかな？

答え 36　正解は ウ

夏至の日は、太陽の出ている時間がもっとも長くなり、12時ごろの太陽の高さも、もっとも高くなるよ。逆に12月22日ごろの冬至の日は、太陽が出ている時間がもっとも短くなり、12時ごろの太陽の高さも、もっとも低くなるんだ。昼と夜の長さがちょうど同じになる春分の日（3月21日ごろ）と秋分の日（9月23日ごろ）は、夏至と冬至のちょうど中間にあたり、太陽は真東から出て、真西にしずむよ。

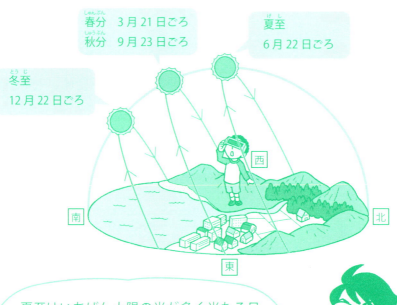

夏至はいちばん太陽の光が多く当たる日だけれど、大気があたたまるには時間がかかる。だから、夏至の1か月くらい後に、気温はいちばん高くなるんだ。

問題 37 朝、西の空に虹が出ている日の天気は？

朝起きたら、西の空に虹がでていたぞ。
今日の天気はどう予想できるかな？

ア 晴れだと思うよ。

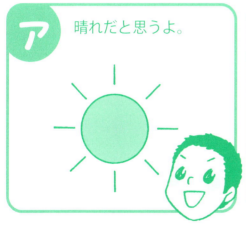

イ くもりじゃないかな。

ウ 雨に違いないよ。

エ 予想はできないよ。

答え 37　正解は ウ

虹は、太陽の光が空気中の水のつぶにはねかえされたものだったね。朝は太陽が東にあるから、西の空に虹が出るよ。この場合、西の方で雨が降っていて、空気中に多く水のつぶがあると考えられる。天気はふつう西から東へと移り変わっていくから、その日は雨になると予想できるんだよ。

東　　　　　　　　　　　　　　　　西

このあま雲が西から東へ移って来るので、これから雨が降ると予想できる。

光

雨が降ると空気中の水のつぶが多くなり、太陽の光をはねかえして虹が出る。

かさを持って出かけると安心だね。

問題 38 雪の結晶ができるのは、どんなとき？

雪の結晶を見たことがあるかな？
その多くは六角形をしていて、とてもきれいだね。どんな条件がそろうと雪の結晶ができるのかな？
次の中から、必要な条件をすべて選んでみよう。

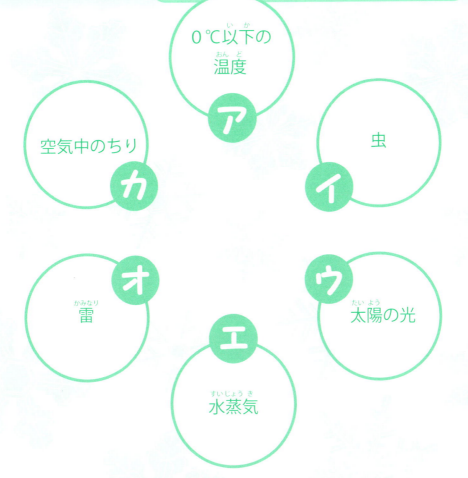

ア　0℃以下の温度
イ　虫
ウ　太陽の光
エ　水蒸気
オ　雷
カ　空気中のちり

答え 38　正解は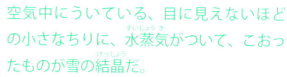

空気中にういている、目に見えないほどの小さなちりに、水蒸気がついて、こおったものが雪の結晶だ。

結晶は1つとして同じ形がないんだ。温度や水蒸気の量の違いで形が変わるよ。

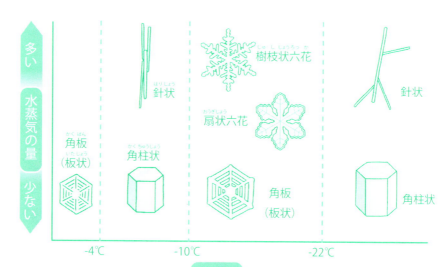

「形によって、名前がつけられているよ。」

雪の結晶はそのほとんどが、けんび鏡を使わないと見えないほど小さいんだ。けれども、樹枝状六花は形も大きく、虫眼鏡や肉眼でも見えることがあるよ。

問題39 土星の輪は、何でできている？

天体望遠鏡で土星を見ると、大きな輪があるのがわかるよ。この土星の輪、何でできているのかな？

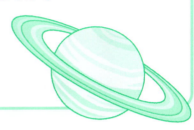

ア 岩石や氷のつぶが集まっているんだよ。

イ 大きな板みたいなものだと思うな。

ウ 雲が輪になっているんじゃないかな。

エ 光の輪だと思うよ。

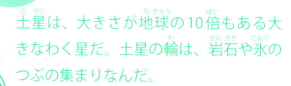

答え 39　正解は ア

土星は、大きさが地球の10倍もある大きなわく星だ。土星の輪は、岩石や氷のつぶの集まりなんだ。

幅はおよそ6000kmほどあるけれど、厚さはおよそ100kmほど。うすいところはでは数メートルしかないよ。それをとても遠くから見るから、板のように見えるんだね。

2006年

2009年

2013年

2017年

2021年

2025年

地球から土星を見ると、輪の見えている角度がだんだん変わるんだ。

そのため約15年ごとに地球に対して輪が真横を向き、ほとんど見えなくなる時期があるよ。

メモ
実は、木星にも輪がある！

木星の輪は細かいちりで、できていると考えられているよ。とてもうすいので地球からは見えないんだ。

星によって、体重が変わる?!

わたしたちが地面の上に立って暮らしていられるのは、地球に引力があるからだね。地球以外の星にも、引力はあるよ。引力はその星の大きさや、重さによって変わってくるんだ。大きくて重い星ほど、引力が強くなる。
例えば、体重40kgの子どもが太陽で体重をはかったとすると、その体重はおよそ1120kgにもなるんだ。逆に、月ではかったとすると、約7kgにしかならないよ。

水星 約15kg
木星 約102kg
地球 40kg
月 約7kg
太陽 約1120kg

問題 40 水が姿を変えたものは、どれ？

わたしたちの身の周りには、いろいろな形で水が存在するよ。次のうち、水が姿を変えたものは、どれかな？

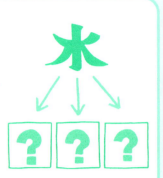

ア 日光

イ 雪

ウ 雲

水道水

湯気(ゆげ)

雷(かみなり)

かき氷(ごおり)

川

40

水には、液体(水)・気体(水蒸気)・固体(氷)の3つがあるね。アクは液体、イは固体だ。
空気中の水蒸気は目に見えないけれど、ウオは水蒸気が冷やされて水のつぶになったものなんだ。

水は、空と地上とを、行ったり来たりしながら常に循環しているよ。太陽からのエネルギーにより海の水は蒸発して水蒸気に姿を変え、水蒸気は上空で雲を作り、陸地に雨や雪を降らせる。陸地に降った雨は、一部は地下へしみこみ、一部は地面や木の葉から蒸発し、一部は川となって流れ、海へもどってゆく。およそ12日ごとに、大気中のすべての水が地上に降りそそぎ、新たに蒸発していると言われているよ。

さくいん

あ

青い星	54
赤い星	54
天の川	7,67
雨	6,22,23,24,26,31,39,40,41,43, 44,46,47,48,57,58,76,84,93
あま雲	31,47,74
アルタイル	8
アンタレス	54
異常気象	60
一時雨	39
1等星	8
引力	61,62,89
うす雲	74
打ち水	58
宇宙	60
うね雲	73,74
うろこ雲	44,46,73,74
雲粒	30
液体	92
扇状六花	86
大雨	48
おおぐま座	50,79
おとめ座	7,54
おぼろ雲	74
オリオン座	50
おりひめ星	7,8
温室効果ガス	59,60
温暖化	60
温度	16,41,42,64,86

か

海王星	63,64
皆既日食	34
海水	62
海風	14
火星	63,64
かげ	9,10
下弦	28
かさ雲	44,46
カシオペヤ座	50,79,80
風	13,14,26,30,37,38,69,70
雷	48,55,56,91
観天望気	46
気圧	14
気温	6,20,42,43,46,59,82

き

気象庁	48
季節	18,48,50
気体	6,92
北半球	18
きつねの嫁入り	22
きり雲	74
きり雨	48
銀河系	68
金星	63,64
空気	14,20,36,41,42,46,47,84,86,92
空気抵抗	24
雲	5,6,21,22,26,29,30,31,35,37,42, 43,44,46,47,56,73,74,90,93
クモの巣	44,46
くもり	21,22,46
夏至	18,81,82
結晶	85,86
月食	34
巻雲	74
巻積雲	46,74
巻層雲	74
豪雨	66
高気圧	14
洪水	60
降水量	48
恒星	16
高積雲	74
高層雲	74
公転	18
氷	6,30,40,41,42,43,56,60,64,88,91
こぐま座	79,80
小雨	48
固体	92
こと座	7,8
昆虫	47

さ

さそり座	50,54
3等星	8
潮	61,62
しずく	24
自転	18
秋分	18,82
樹枝状六花	86
循環	93
春分	18,82

上弦 ------------------------------------- 28	日光 ------------------------------ 20,90
上昇気流 ------------- 14,40,41,42,46,47	日食 -------------------------------- 33,34
蒸発 --------------------------------- 58,93	入道雲 ----------------------------- 31,32,74
新月 --------------------------- 28,34,51,52	熱 -------------------------------------- 20
水蒸気 ------ 6,40,41,42,43,46,58,86,92,93	熱帯夜 ----------------------------------- 66
水星 ------------------------------ 63,64,89	
水滴 ---------------------------------- 24	**は**
すじ雲 ---------------------------- 31,73,74	排気ガス -------------------------------- 65,66
スピカ ----------------------------------- 54	はくちょう座 -------------------------------- 8,79
星座 ------------------------------ 7,49,50,79	はち巻き雲 ------------------------------- 45,47
静電気 ----------------------------------- 56	晴れ ------------------------------------ 22,46,47
積雲 -------------------------------------- 74	半月 ------------------------------------- 28
赤道 -------------------------------------- 17	ヒートアイランド現象 ------------------------ 65,66
積乱雲 ----------------------------- 30,56,74	光 -------------------- 20,28,47,68,72,76,84
層雲 -------------------------------------- 74	飛行機雲 ------------------------------- 45,47
層積雲 ------------------------------------ 74	ひこ星 ------------------------------------ 7,8
空 -------------- 5,6,21,22,29,44,46,76,93	ひつじ雲 ---------------------------------- 73,74
	氷河 -------------------------------------- 78
た	部分日食 ---------------------------------- 34
台風 --------------------- 25,26,37,38,69,70	ベガ --------------------------------------- 8
太陽 ------ 9,10,11,12,15,16,17,18,20,28,33,34,47,	偏西風 ------------------------------------ 36
51,52,63,64,68,76,79,81,82,84,89,93	星 ------------------- 53,54,68,71,79,80,89
太陽系 ------------------------------- 64,68,77	北極 -------------------------------------- 17,78
七夕 --------------------------------------- 7	北極星 ------------------------------------- 80
地球 -------------- 11,15,16,17,18,28,33,34,52,59,60,	北斗七星 ----------------------------------- 80
61,62,63,64,68,71,72,77,78,79,88,89	
ちり ------------------------------------- 86,88	**ま**
月 ---------------- 11,12,15,16,27,28,33,34,45,	満月 -------------------------------------- 28
47,52,61,62,71,72,79,89	三日月 ----------------------------------- 28,51,52
ツバメ ----------------------------------- 45,47	南半球 ------------------------------------ 18
つゆ -------------------------------------- 44,46	水 -------------------- 6,30,77,78,90,91,92,93
低気圧 ------------------------------------- 14	木星 ------------------------------ 63,64,88,89
デネブ -------------------------------------- 8	
天気 ------------------- 21,22,44,46,47,83,84	**や**
天気予報 -------------------- 21,35,39,44,48	夕立 -------------------------------------- 57
天王星 ----------------------------------- 63,64	夕焼け ------------------------------------- 45,47
冬至 -------------------------------------- 18,82	雪 ----------------------------------- 22,85,86,90,93
時々雨 ------------------------------------- 39	湯気 -------------------------------------- 91
土星 ------------------------------ 63,64,87,88	
	ら
な	雷雨 -------------------------------------- 48
長雨 -------------------------------------- 48	陸風 -------------------------------------- 14
夏の大三角形 ------------------------------- 8	
南極 -------------------------------------- 78	
虹 ----------------------------- 75,76,83,84	
2等星 ------------------------------------- 8	

95

多田歩実

イラストレーター。本書では文章・デザインも担当。
主な仕事に『ビジュアルガイド明治・大正・昭和のくらし③』(汐文社)
『シゲマツ先生の学問のすすめ』(岩崎書店)、『日本地図めいろランキング』(ほるぷ出版)
『占い大研究』(PHP研究所)、『にほんのあそびの教科書』(土屋書店)など。

参考文献一覧

『小学館の学習百科図鑑42　天気と気象』安井正・監修　青木孝 / 佐伯誠一 / 里見穂 / 田沢秀隆・著 (小学館)
『小学館の学習図鑑 10　宇宙』古畑正秋・監修　懸秀彦 / 斎藤馨児 / 佐伯誠一 / 冨田弘一郎・著 (小学館)
『小学館の学習図鑑 27　星座』冨田弘一郎 / 斎藤馨児 / 原恵・著 (小学館)
『自然の贈りもの　雲の大研究』岩槻秀明・著 (PHP研究所)
『気象がわかる絵事典』ワン・ステップ・著 (PHP研究所)
『月・太陽・惑星・彗星・流れ星の見かたがわかる本』藤井旭・著 (誠文堂新光社)
『ひとつの「なぜ」から広がる世界 3　あしたの天気はなぜわかるの?』高橋健司・文　村松ガイチ・絵 (偕成社)
『楽しい気象観察図鑑』武田康男・著 (草思社)
『天気でわかる四季のくらし 5 天気の基本を知ろう!』日本気象協会・著 (新日本出版社)
『なぜ?どうして?宇宙のお話』渡部潤一・監修 (学研教育出版)
『天気の基本がわかる本』塚本治弘・監修 (地球丸)
『気象予報士わびちゃんのお天気観察図鑑』岩槻秀明・著 (いかだ社)
『実験はかせの理科の目・科学の芽4　太陽と光のはたらき』
『実験はかせの理科の目・科学の芽17　天気を調べよう』
『実験はかせの理科の目・科学の芽18　星を観察しよう』大竹三郎・著 (国土社)
『校外活動ハンドブック⑥ウォッチング　雲と星』江橋慎四郎・監修　酒井哲雄・著 (国土社)
『なぜ?どうして?理科のふしぎ学習③アサガオのつるはなぜまきつく』
『なぜ?どうして?理科のふしぎ学習④すがたをかえるしずくのふしぎ』七尾純・構成、文 (国土社)
『イクス宇宙図鑑1・銀河と大宇宙』『イクス宇宙図鑑2・星の一生』
『イクス宇宙図鑑3・太陽系1』
『イクス宇宙図鑑4・太陽系2』
『イクス宇宙図鑑5・生命の惑星・地球』
『イクス宇宙図鑑6・天体観測』磯部秀三・監修 (国土社)

このほか、国土交通省、環境省、気象庁ホームページなど多数 Web サイトを参考にさせていただきました。

なぜなにはかせの理科クイズ③
天文と気象のなぞ

2014年3月20日　初版第1刷発行
2022年2月25日　初版第2刷発行

著者／多田歩実
発行／株式会社　国土社
　　　〒161-8510 東京都新宿区上落合 1-16-7
　　　Tel 03-5348-3710 (営業) Fax 03-5348-3765
　　　http://www.kokudosha.co.jp
印刷／モリモト印刷
製本／難波製本
NDC448／95P／22cm
ISBN978-4-337-21703-4

NDC448　国土社
2014　95P　22×16cm

Printed in japan ©A. TADA　2014
落丁本・乱丁本はいつでもおとりかえいたします。